迪士尼 我会自己读 第2级

DISNEY·PIXAR 海底总动员

童趣出版有限公司编　　人民邮电出版社出版

北　京

缓步出发大步走

儿童阅读的作用和意义，家长们已经达成共识，不再需要热烈讨论。不过，家长们还是有一些普遍困惑，例如，孩子在幼儿园要不要识字？通过什么方式识字？孩子在幼儿园不识字能否应对小学之初的压力？如何处理父母读和自主读的关系？阅读兴趣和语言学习如何兼顾？

这套书正是为了解答上述疑惑而编写的。编写者希望在儿童阅读的纷繁流派中，坚持一些基本观点，探索中国孩子学习阅读的独特途径。这些观点主要如下：一、早期阅读要把阅读兴趣的培养放到最重要的位置来考虑；二、通过这套书让孩子在幼儿园认识 400 个常用字，为小学阶段的学习减轻压力和奠定基础；三、不鼓励父母用识字卡片的方式教孩子识字，把生字放到故事中更有意义；四、在小学三年级的阅读关键期，实现孩子自主阅读；五、幼儿园阶段既鼓励亲子阅读，又鼓励孩子自主阅读。由此，这套书主要有如下特点：

科学性。从选择高频、简单、构词能力强的字先认，到通过各种方式复现，再到故事内容的打磨，最后培养出优秀的阅读者。从分级阅读的角度，综合考虑生字、生词、句子长度、主题深浅等多个因素，编写出难度递增的故事。

趣味性。选择了迪士尼的漫画人物和漫画故事作为主要内容，降低阅读难度，增强阅读趣味。由于有识字的安排，创作故事犹如"戴着镣铐跳舞"，但故事仍然精彩十足，劲道十足。

功能性。把识字放在重要位置，同时兼顾文学性。和时下流行的图画书不同，本套书把学习功能放到重要位置。希望通过有趣的故事，让孩子认识汉字，早日实现自主阅读。

希望通过这套书，帮助孩子在阅读之路上缓缓起步，培养自信，锻炼能力，然后再大步流星，一路前行，成为趣味高雅、兴趣充盈的阅读者！

王林（儿童阅读专家）

海底总动员（上）

尼莫 要上学了！他可高兴了。

"早上好，爸爸！我要上学去了。快走吧，快走吧。"

"小心，我的儿子！跟着我。不要一个人走远！"

"快啊，爸爸！我想快快看到大家。"

到了，到了！看到好多小学生，真开心！

尼莫

一二三，四五六，你在前，我在后。

高高兴兴来上学，快快乐乐好朋友。

"你的个子真小。跟我出去走走。你怕了吧？"

"我不怕！"  尼莫 游了出去。

"尼莫，快回来！"

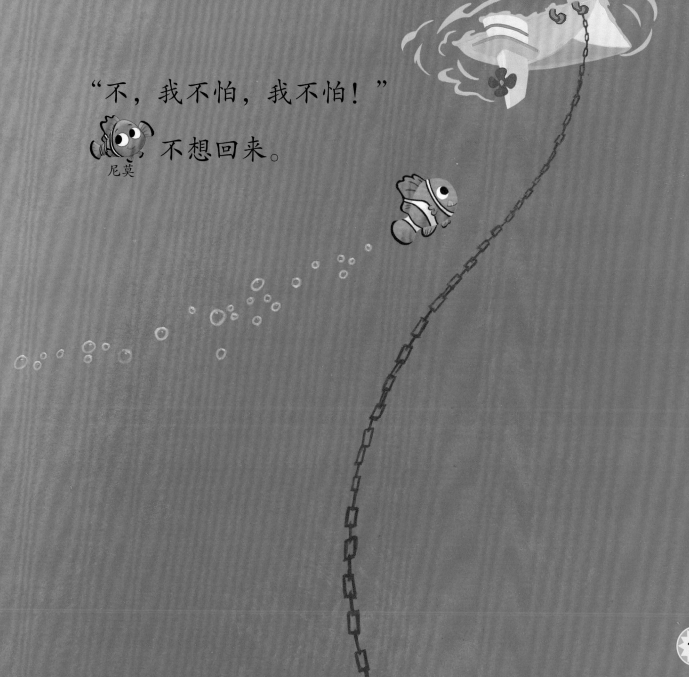

"不，我不怕，我不怕！"

尼莫 不想回来。

13

"小朋友，跟我走吧。"
一个人看到 尼莫 ，抓走了他。

尼莫 不见了，爸爸找啊找。

"你看到我的儿子 尼莫 了吗？"

"他在 船 上。"

17

"啊？！我的儿子在 上！我要去找他！"

可是 开得很快，一会儿，爸爸看不到 了。

好心的 多莉 来找 尼莫 的爸爸。

"跟我来。我们去找你的儿子吧。"

"谢谢你，好心的朋友！"

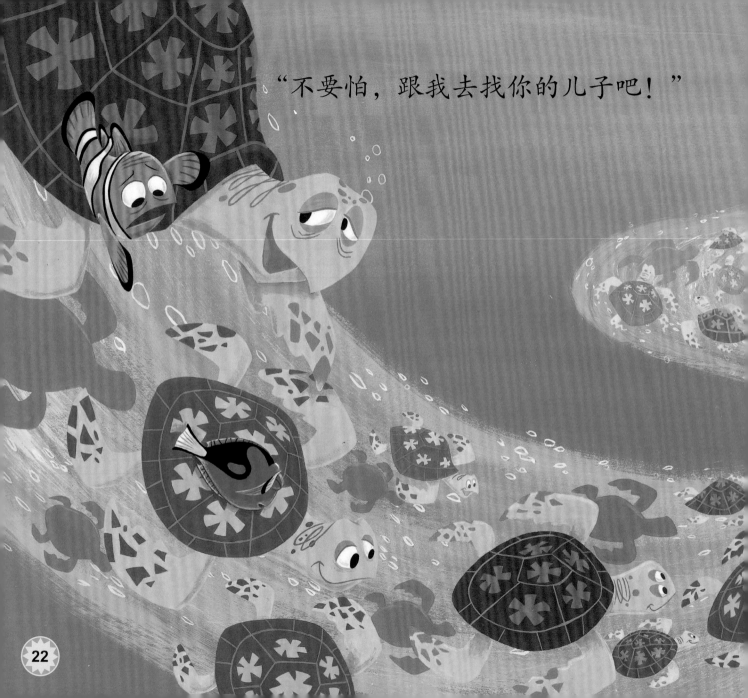

"不要怕，跟我去找你的儿子吧！"

海底总动员（下）

尼莫

出不来，很生气。

尼莫 好想爸爸，好想朋友们。

"是我不好，爸爸。我想回家！"

"你们想不想回家？"

"想啊！可是我们出不去啊。"

大鸟来了。"尼莫，你爸爸来找你了。"

尼莫 想到爸爸会找到他，他一下子高兴了。

"，你要游到上面的管子里。你做得到吗？"

尼莫

"做得到。看我的吧！"

尼莫 不怕真不怕，快快出去找爸爸。

小心小心要小心，高高兴兴要回家。

34

尼莫出来了！他看到了爸爸。可是……

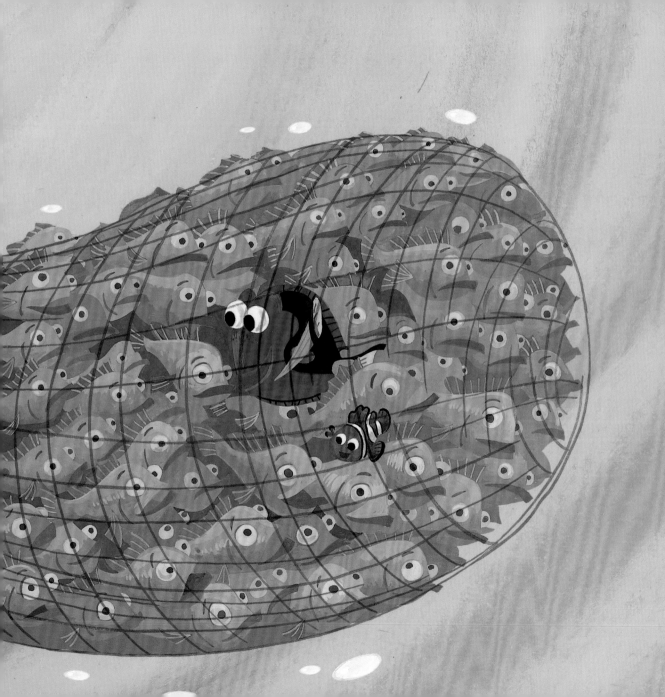

两个  来了，剪开了  ，  真的出来了！

螃蟹　　　　　　　　网子　　尼莫

尼莫 又来上学了。

朋友们看到他很开心。

最开心的人是尼莫。

41

不，最开心的人是爸爸。

小鱼尼莫在和小伙伴们玩变变变游戏，快来帮他连一连吧！

了　口　亻

口　门　一

回　们　子

小鱼尼莫学会了一个新词叫"好心"，你能帮他在迷宫里找出所有的"好心"吗？找出后要用彩笔圈出来哦。

游戏测试页

尼莫被人类抓走了，请你用迷宫中的字造句，帮助他找到回家的路吧！

开始

爸	爸	我	爸	了	回	爸	你	我
我	你	爱	你	我	爸	回	家	了
了	我	想	爸	想	你	想	爸	我
你	了	爸	家	爸	了	我	了	你

终点

超范围字

jiàn	jiǎn	yuǎn	yóu	lǐ
见	剪	远	游	里

zhuā	pà	ma	miàn	zuì	guǎn
抓	怕	吗	面	最	管

一	二	三	四	五	六	七	八	九	十	两
上	下	大	小	多	少	前	后	花	草	天
地	春	鸟	朋	友	气	山	木	马	森	林
人	子	手	心	门	饭	水	出	去	到	来
看	吃	笑	找	爱	玩	跑	飞	走	开	回
要	进	坐	生	是	想	谢	做	睡		
学	会	个	儿	了	只	的	不	什		
么	们	跟	又	啊	吧	在	得	可		
高	兴	好	早	快	真	棒	乐	美		
丽	很	我	你	爸	妈	家	他	她		

尼莫的故事真好看，我还想看！下面的小书你都看过了吗？看过了就在书的旁边打个"√"，没有看过的快去看吧！

专家小贴士

建议孩子同一级别的书多读几本，提高生字的复现率，便于孩子强化巩固已认生字。